Ta książka należy do

....

....

Tekst polski Agnieszka Zwolińska i Jan Wecsile
Narrator Wojciech Paszkowski

Zygzak McQueen Piotr Adamczyk
Złomek Witold Pyrkosz
Sean McMission Piotr Fronczewski
Liliana Lifting Agnieszka Dygant
Baron Smardz-Rychły Paweł Wawrzecki
Francesco Paltegummi Piotr Polk
Profesor Zweitaktt Jan Peszek

Wersja polska SDI Media A/S Oddział w Polsce
Dźwięk i montaż Michał Wróblewski
Zgranie Marek Ołdak

You Might Think (03:07)
Wykonanie: Weezer
Muzyka i tekst oryginalny: Ric Ocasek
Produkcja: Shawn Everett i Weezer
© 1984 Lido Music, Inc. (ASCAP). All Rights Reserved. Used with permission.
℗ 2011 Walt Disney Records/Pixar

For the Polish edition
© 2011 AMEET Sp. z o.o.
ul. Przybyszewskiego 176/178, 93-120 Łódź
tel. (4842) 676 27 78
www.ameet.pl

ZAiKS/BIEM

Złomek towarzyszy przyjacielowi — Zygzakowi McQueenowi —
podczas wyścigów w Japonii, Włoszech i Londynie.
Przez pomyłkę zostaje uznany za tajnego agenta.
Czytaj książeczkę razem ze mną. Przewróć stronę,
kiedy usłyszysz ten dźwięk...
Zaczynajmy! Odpalamy silniki i ruszamy!

1

Zygzak McQueen wrócił do Chłodnicy Górskiej. Chciał uczcić zdobycie czwartego Złotego Tłoka, więc wybrał się z Sally do restauracji. Złomek też chciał spędzić trochę czasu z przyjacielem, więc udawał kelnera. Tak zaczęły się kłopoty...

Baron Smardz-Rychły występował w telewizyjnym programie o Światowym Grand Prix.

W wyścigu miały wziąć udział najszybsze samochody świata, wszystkie oprócz Zygzaka, który miał ochotę na krótki odpoczynek. Włoski samochód wyścigowy Francesco Paltegummi był pewien wygranej.

— Tutti słyszelli. Zygdżak ciągnie się jak koza z nostra. Oczywiście to nie dziwi dla Francesco!

Zygzak nie wiedział, że Złomek zadzwonił do prowadzącego program, a kiedy się dowiedział, musiał przystąpić do wyścigu.

Zygzak wraz z przyjaciółmi polecieli do Tokio, gdzie rozpoczynał się wielki wyścig. Dzień przed zawodami odbyła się gala w tokijskim muzeum.

Imprezę na czerwonym dywanie obserwowali Sean McMission i Liliana Lifting. Nie przybyli tam, by dopingować zawodników. Byli brytyjskimi tajnymi agentami. Szukali agenta amerykańskiego, który miał dla nich ważne informacje.

Podczas gali Zygzak rozmawiał z baronem Smardzem-Rychłym, byłym potentatem paliwowym, który wynalazł paliwo przyszłości o nazwie „olejzyna". Był też gospodarzem Grand Prix. Wszystkie samochody miały jeździć na jego paliwie. Sam baron twierdził, że wymienił silnik na elektryczny.

Dołączył do nich Złomek przejęty udziałem w gali. Kiedy Zygzak zauważył pod nim plamę oleju, zdenerwował się.

— Chłopaku, ty weź się trochę w garść, kompromitujesz nas!

Złomek się zawstydził.

— Ty, ja nie popuszczam oleju. W życiu!

I popędził do toalety.

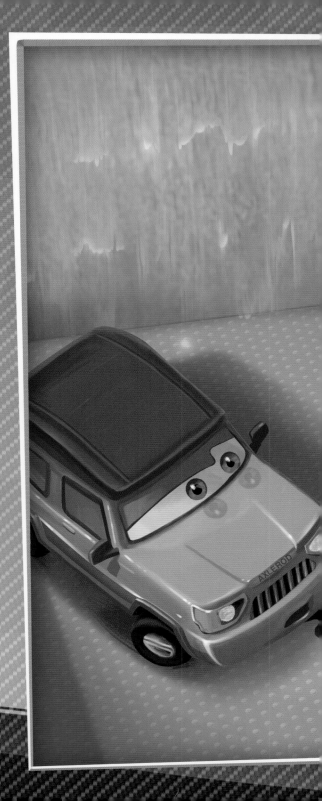

Wychodząc z toalety, Złomek natknął się na bójkę. Jednym z samochodów był amerykański agent. Złomek był zdezorientowany, a tajny agent wykorzystał jego nieuwagę i podrzucił mu kapsułkę z supertajnymi informacjami.

Chwilę później dwa auta-oprychy przepędziły Złomka.

— Wynocha stąd!

W korytarzu zaczepiła go Liliana.
Zagadnęła go ściszonym głosem:
— To kiedy możesz się ze mną
spotkać?
Złomek się zdziwił.
— Kiedy? Czekaj… To może jutro,
jak będziemy na wyścigach?
Myślał, że Liliana umawia się
z nim na randkę. Jednak jej
chodziło o coś innego. Odkryła,
że Złomek ma supertajne
informacje… i wzięła go za
amerykańskiego agenta.

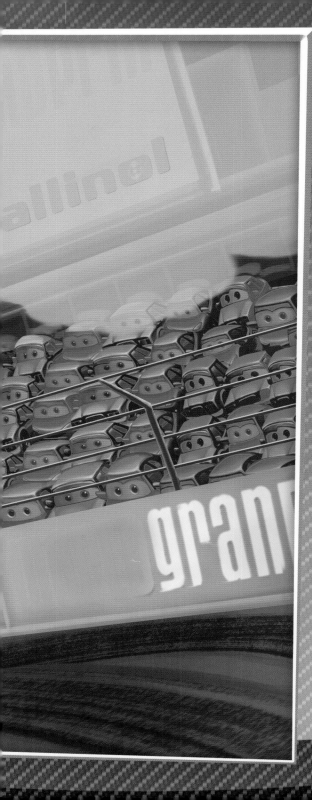

Nazajutrz rozpoczął się pierwszy wyścig Grand Prix. Członkowie zespołu z Chłodnicy Górskiej zajęci byli przygotowaniami. Chcieli być pewni, że Zygzak jest w szczytowej formie.

Wkrótce światła zmieniły się z czerwonych w żółte, a później w zielone. Zawodnicy wystartowali.

Wkrótce zdarzył się wypadek. Jeden z samochodów zaczął się dymić. Wybuchł jego silnik. Chwilę później eksplodował też silnik innego samochodu, który wypadł z trasy. Wtedy Złomek usłyszał w słuchawkach głos:

— Uciekaj, szybko!

Holownikowi głos wydał się znajomy.

— Ej, ja znam ten głos! Cię zapoznałem wczorej pod wychodkiem! To co, idziemy na randewół?

Złomek opuścił tor, by spotkać się ze swą wybranką.

Rozglądał się za Lilianą, która znów odezwała się do niego, kiedy zauważyła, że chce kupić kwiaty.

— Nie, nie wchodź nigdzie! Pokręć się po okolicy.

Złomek odpowiedział, zapomniawszy, że słyszy go Zygzak:

— Znaczy po na zewnątrz? Jasne.

Zdziwiony Zygzak zjechał na zewnętrzny tor.

Tymczasem Złomek zobaczył, że Sean McMission walczy z groźnie wyglądającymi autami. Nie wiedział, że Sean jest agentem. Sądził, że ogląda pokazową walkę karate i cieszył się jak dziecko.

Zygzak kazał Złomkowi wyłączyć zestaw słuchawkowy. Przez niego stracił prowadzenie. Starał się odzyskać straty, ale poniósł porażkę.

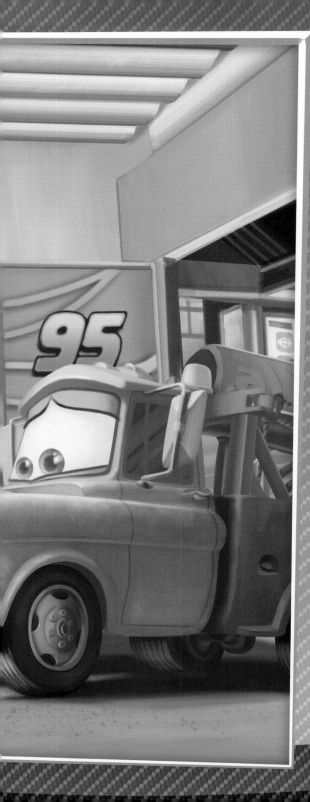

Po wyścigu wściekał się na Złomka:

— Słuchaj, czemu ty mi gadałeś jakieś dyrdymały do ucha?! Wygranie wyścigu mi pokrzyżowałeś, ciołku!

Złomek bardzo się zdziwił.

— Nie gniewaj się, ale ja nie chciałem.

Ale zły Zygzak nie chciał go słuchać.

— To ty teraz już wiesz, dlaczego cię nigdy nie zabierałem na zawody!

Złomek zaoferował pomoc.

— Słuchaj, to może ja… jakby tak może… tak z kimś pogadał, wytłumaczył, czy jakoś pomógł…

Zygzak pokręcił głową.

— Wiesz co… weź ty się odczep! Tak mi najbardziej pomożesz!

Złomek miał wyrzuty sumienia. Nie chciał, żeby przyjaciel przez niego przegrywał. Pomyślał, że lepiej będzie, jeśli wróci do domu.

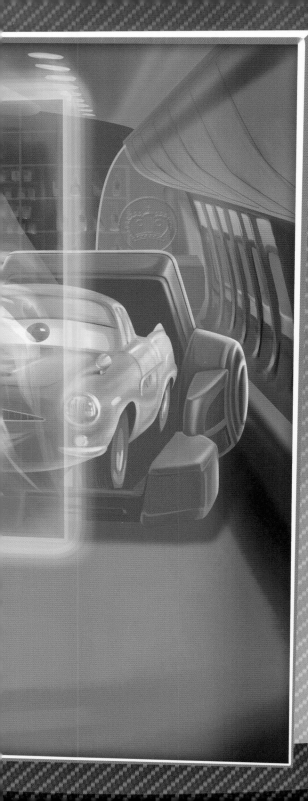

Złomek pojechał na lotnisko, żeby złapać samolot do Chłodnicy Górskiej. Nie zdążył jednak wsiąść. Pojawił się Sean przebrany za pracownika ochrony.

— Pan pozwoli ze mną, sir.

Po chwili Złomek znalazł się na pokładzie prywatnego samolotu. Była tam też Liliana. Razem pokazali Złomkowi zdjęcie pewnego silnika i poprosili o pomoc w ważnej misji. Chcieli wybadać, dlaczego wybuchają silniki na wyścigach. Holownik miał działać z użyciem kamuflażu.

Złomek się zgodził.

— No… jak chcesz.

Ale jedna rzecz nie dawała mu spokoju.

— Ale wiesz, że jestem prosty laweciarz, nie?

Liliana i Sean nie uwierzyli. Nadal uważali go za tajnego agenta, doskonałego w swoim fachu.

Kiedy znaleźli się w Porto Corsa we Włoszech, zaczęli wcielać swój plan w życie. Udając rosyjską lawetę, Złomek wziął udział w naradzie szajki złych samochodów. Dowiedział się, że zamierzają zrobić krzywdę wszystkim zawodnikom Grand Prix.

Kanciasty, niemiecki samochód z monoklem przemawiał do reszty bandy. Był to Profesor Zweitaktt, który miał manię władzy. Wymyślił, by użyć miotaczy fal elektromagnetycznych udających kamery. Fale podgrzewają olejzynę, co powoduje eksplozję silników ścigających się samochodów.

Tymczasem miał się właśnie rozpocząć drugi wyścig Grand Prix. Francesco świetnie znał ten tor. Zwrócił się do kibiców:

— Bellissima! Gracje wam za aplauzo!

Był pewien, że pokona Zygzaka.

Wyścig się rozpoczął. Samochody śmigały po torze. Po chwili zaczęły wybuchać silniki, a uszkodzone samochody wpadały na siebie jeden po drugim — istny koszmar! Szajka złych ponownie uderzyła.

Podejrzewano, że to wina olejzyny.

Po ostatnim okrążeniu Zygzak wysunął się na prowadzenie. Francesco nie mógł w to uwierzyć.

— To niemożliwe!

Zygzak tryumfował.

— To właśnie chciałem usłyszeć!

W przeciwieństwie do innych zawodników, Zygzak McQueen oświadczył, że nie rezygnuje z olejzyny.

W trakcie spotkania Złomek zorientował się, że Zygzak będzie następnym celem. Zaczął sie trząść i ruszył w kierunku drzwi.

Wtedy otrzymał ważny komunikat od Liliany:

— Odwołuję całą akcję! Sean właśnie wpadł. Uciekaj stamtąd. Uciekaj, póki czas!

Przy próbie ucieczki Złomek się zdemaskował.

Profesor krzyknął:

— Amerykaniszer szpion!

Złomek najpierw zamarł…

— Siwy dym!

…a później szybko ewakuował się za pomocą spadochronu, który dostał od Liliany.

Popędził na tor, żeby odnaleźć Zygzaka. Przepychał się przez tłum, starając się zwrócić na siebie uwagę.

— Przepuśta mnie, przepuśta! Z drogi, ludziska, z drogi!

Ale Zygzak go nie widział. Zanim Złomek do niego dotarł, dopadli go opryszkowie profesora Zweitaktta. Powalili go na ziemię i ogłuszyli.

Złomek ocknął się w towarzystwie Seana i Liliany, których także pojmano. Agenci zorientowali się, że tkwią wewnątrz Big Bentleya — londyńskiego zegara.

Tymczasem rozpoczął się następny wyścig.

Złomek rozpaczał:

— To wszystko moja wina! Żaden ze mnie szpieg, tylko naprawdę prosty holownik.

Tym razem Sean i Liliana zrozumieli, że mówi prawdę. Sean zaczął go uciszać:

— Nie pleć głupstw, mój drogi. Nie trać tu czasu. Uwierz w siebie!

Złomek pomyślał, że może jeszcze ostrzec Zygzaka. Użył szpiegowskich gadżetów, by przeciąć więzy i ruszył pędem, by ratować przyjaciela.

Złomek był już daleko, a Liliana sprytnym sposobem uwolniła siebie i Seana. Potem Sean wydostał się przez drzwi frontowe, a ona przez tarczę zegara. Oboje popędzili za Złomkiem. Po drodze dokonali strasznego odkrycia — szajka zainstalowała mu pod maską bombę!

Kiedy Złomek dotarł do Zygzaka, Sean odezwał się do niego przez radio:

— Gdy byliśmy nieprzytomni, założyli ci ładunek zamiast filtra!

Złomek pojął, że to prawda. Natychmiast wrzucił wsteczny. Musiał zabrać bombę jak najdalej od przyjaciela.

Widząc na torze Złomka, Zygzak całkiem zapomniał o wyścigu. Dowiedział się od przyjaciół z Chłodnicy Górskiej, że Złomek wcale nie dotarł do domu.

— Złomero, tak się martwiłem!

Złomek wiedział, że musi zachować bezpieczną odległość.

— Trzym się ode mnie z dala!

Ale Zygzak jechał za nim.

— Ej, zaczekaj, stój!

Zygzak gonił Złomka, Liliana ich obu, starając się pomóc, a Sean próbował pochwycić profesora.

Wkrótce wszyscy znaleźli się w tym samym miejscu, razem z szajką złych samochodów.

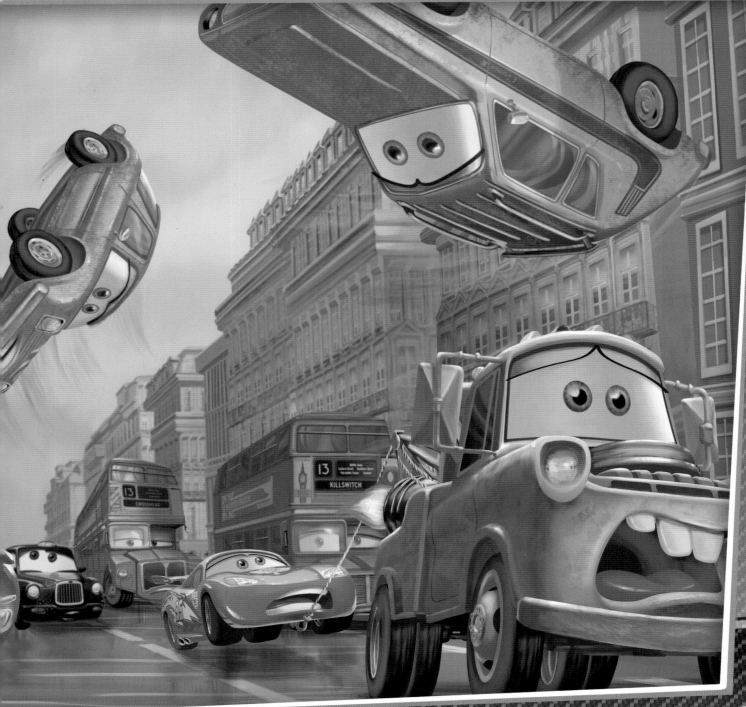

Sean krzyknął na profesora:

— Rozbrój ładunek, Zweitaktt!

Zweitaktt wcale się nie przejął.

— Ależ z was idioten! Jest głos-
-aktivirte.

Złomek starał się, jak umiał.

— Ej, wyłącz się, co?!

Profesor roześmiał się
złowieszczo.

— Dodam dla ulatfienia, że
rozproić moszna tilko osoba, która
zaloszila. A fięc usproiłem nie ja.

Złomek zorientował się, kto za
tym stoi. Wiedział, co trzeba
zrobić. Wziął Zygzaka na hol i dodał
gazu.

Dzięki specjalnym tubom odrzutowym Złomek pociągnął Zygzaka w powietrze ponad miasto. Podczas lotu opowiedział przyjacielowi o sabotażu. Miał już opracowaną strategię działania. Ale trzeba było się śpieszyć.

Obaj wylądowali na dziedzińcu pałacu, tuż przed tronem królowej. Sean i Liliana także tu dotarli.

Złomek wskazał na barona.

— Tę plamę to ty dałeś na balecie u Japończów. Tylko zwaliłeś na mnie.

Liliana nie dowierzała.

— Ale to pan baron zorganizował ten wyścig. Czemu miałby kasować jego uczestników?

Złomek tłumaczył, że silnik, który widział na zdjęciu w szpiegowskim samolocie, był benzynowym silnikiem Smardza-Rychłego. Baron kłamał, że ma silnik elektryczny. Nadal był potentatem paliwowym, chociaż nikt o tym nie wiedział. Złomek domyślił się, że baron chce skompromitować olejzynę, choć sam ją opatentował. Gdyby plan się powiódł, wszyscy wróciliby do zwykłej benzyny i baron zbiłby majątek.

Początkowo nikt nie chciał w to wierzyć. W końcu, kiedy bomba miała wybuchnąć za kilka sekund, baron nie wytrzymał i krzyknął:

— Deaktywacja!

Ładunek nie eksplodował. Okazało się, że mózgiem spisku był baron Smardz-Rychły, a Złomek go rozszyfrował.

Zachwycona królowa wezwała Złomka na dwór, by go specjalnie uhonorować.

Jego przybycie zaanonsował jeden z lordów:

— Wasza Wysokość, oto rzeczony kandydat do uhonorowania tytułem szlacheckim, imć Złomek z Chłodnicy Górskiej.

Złomek podjechał bliżej i skłonił się. Królowa uśmiechnęła się i nadała mu tytuł szlachecki. Holownik nie był zachwycony. Nie zależało mu na tytułach.

— Ser? W rurę! Pani mi mówi Złomek, pani Królowo. Nie będziem się przecież szczypać po ceregielach!

Po dniach pełnych wrażeń Złomek i Zygzak z ulgą wrócili do domu.

Zygzak wpadł na pomysł, że urządzi Grand Prix w Chłodnicy Górskiej. Wytyczono tor wyścigowy biegnący przez miasteczko i otaczającą je okolicę. Na głównej ulicy obok Zygzaka pojawił się Francesco. Włoski zawodnik uważał, że to znakomita lokalizacja.

Zygzak się zgodził:

— Właśnie, bo w końcu się nie wyjaśniło, kto jest najszybszy na świecie. Poza tym — zero prasy, zero nagród, tylko wyścig. Właśnie tak, jak lubię!

Oczywiście, Włoch wciąż był pewien wygranej.

— To Francesco jest szybki jak wiatry.

Samochody ustawiły się na linii startu. Światła uliczne zmieniły się z czerwonych w żółte, a w końcu w zielone. Wyścig się rozpoczął.

Zawodnicy ruszyli z piskiem opon. Zygzak i Francesco jechali na czele stawki, pokonując kolejne zakręty. Turyści i mieszkańcy Chłodnicy obserwowali zmagania z góry, trąbiąc i kibicując.

Sean i Liliana też tam byli. Sean poprosił Złomka, by ten wziął udział w kolejnej misji.

— Jej Wysokość nalegała, abym cię namówił.

Złomek zdziwił się.

— Ale tłumaczyłem wam — żaden ze mnie szpieg.

Sean się uśmiechnął.

— Szpieg czy nie — jesteś łebski chłopak i wyjątkowo porządny.

Ale Złomek nie chciał zostawiać przyjaciół.

— Dobrze się z wami szpiegowało, ale… tutaj… jest mój dom.

W tej chwili marzył tylko o jednym…

Popędził torem wyścigowym, pomagając sobie napędem odrzutowym. Minął wszystkich zawodników i zrównał się z przyjacielem — Zygzakiem.

— E, widzisz ty to? Dali mi zatrzymać rakety!

Drodzy Rodzice!
Z myślą o Waszych dzieciach przygotowaliśmy
specjalną edycję książek z serii „Czytaj i słuchaj".
Każde wydanie to dwa tytuły starannie wybrane
spośród najpiękniejszych opowieści filmowych Disneya.
Słuchowiska na dołączonych do książek płytach CD,
zawierające oryginalne dialogi i efekty dźwiękowe
oraz piosenki z filmów, zachęcą dzieci do czytania
i będą okazją do wspólnej zabawy dla całej rodziny.

Szukajcie także: